EL PERRO PASTOR QUE PERDIÓ SU REBAÑO

zenith

CONSOL IRANZO

EL PERRO PASTOR QUE PERDIÓ SU REBAÑO

*Una fábula que recoge
toda la sabiduría del coaching*

zenith

Obra editada en colaboración con Editorial Planeta – Barcelona, España

© 2009, Consol Iranzo
© 2009, Editorial Planeta, S.A. – Barcelona, España

© 2008, Editorial Planeta Mexicana, S.A. de C.V.
Bajo el sello editorial ZENITH
Avenida Presidente Masarik núm. 111, 2o. piso
Colonia Chapultepec Morales
C.P. 11570 México, D.F.
www.editorialplaneta.com.mx

Primera edición impresa en España: enero de 2009
ISBN: 978-84-08-07969-9

Primera edición impresa en México: abril de 2009
ISBN: 978-607-07-0102-3

Impreso en los talleres de Litográfica Ingramex, S.A. de C.V.
Centeno núm. 162, colonia Granjas Esmeralda, México, D.F.
Impreso en México – *Printed in Mexico*

A todas las personas que son mágicas para mí.
Y a Jaume, sin su apoyo y ayuda incondicional
esta fábula nunca habría visto la luz

SOCRI Y REY

Era una mañana fría y, aunque la primavera había anunciado su llegada, todavía en ese instante del día se notaba la ausencia de la calidez del sol. Socri, un precioso perro pastor, abría sus enormes ojazos de un intenso color miel, mientras se desperezaba tranquilamente con movimientos lentos pero a la vez firmes. Primero las dos patas delanteras muy, muy estiradas, luego las traseras, que presionaban el suelo y comprobaban la firmeza de la tierra, que resistía esa presión. Este gesto daba elasticidad a su cuerpo, como si quisiera agrandarse aún más al mismo tiempo que recibía la energía de la madre tierra.

Miró a su alrededor y comprobó que todo seguía igual y en el mismo sitio, aunque diferente a la noche anterior: la luz matutina daba una nueva luminosidad y resurgía la vida en el hábitat. El viejo roble que le había dado cobijo seguía allí, parecía cansado, pero su color verde intenso se iluminaba con los rayos del astro rey, que simultáneamente iba extendiendo su luz sobre todos los habitantes del bosque, haciendo renacer la existencia como cada mañana.

Flores, rocas, árboles y animales iban despertando; Socri contemplaba este milagro de la naturaleza, alzaba las orejas y ponía especial atención a los sonidos matutinos, se pasó la rosada lengua por la boca reseca y decidió ir al río a beber.

Se acercó con sigilo a la orilla y pudo ver su hermoso rostro reflejado en las aguas cristalinas; sació su sed con el agua fresca. Acto seguido puso una pata delantera dentro del cristal, que se rompió con su contacto; después la otra, y, ya con más determinación, pegó un salto y todo su cuerpo gozó con el contacto del agua. Tan enfrascado estaba en el rito matutino del baño, disfrutando de la deliciosa y fresca agua, que no se percató de un ruido extraño que provenía de la orilla.

Al darse la vuelta para salir del río, vio a un enorme león. Socri primero se asustó, pero al fijarse en la expresión de su cara no observó fiereza alguna, sino más bien tristeza y soledad.

Recuperado de su sorpresa, no pudo evitar dirigirse a él:

—Buenos días, señor león.

El león lo miró profundamente y le contestó:

—Buenos días, señor perro.

Socri decidió presentarse y le dijo:

—Mi nombre es Socri, ¿y el tuyo?

—A mí me llaman Rey.

—¿Y qué hace un león rey tan lejos de sus dominios y además, por lo que veo, solo?

Ante una pregunta tan directa, el león meneó la cabeza y la enorme melena y, mirando hacia el suelo como si hablara consigo mismo, le contestó:

—Verás, Socri, mi historia es muy triste: yo era el rey de la selva, tenía todo lo que un rey puede querer, todos me obedecían, todos me temían; un rugido mío y el mundo temblaba. Yo estaba contento, me sentía fuerte y poderoso, las hembras del grupo cazaban y me daban la mejor parte del festín, el bocado más suculento, nadie discutía mi autoridad.

—Y entonces ¿qué pasó? —preguntó Socri, visiblemente interesado en la historia.

—Un día, un joven macho se enfrentó a mí disputándome el liderazgo, me ganó y me echó del grupo; entonces pensé que me había hecho viejo. Tristemente descubrí que nadie hacía nada por mí. ¡Nadie! ¿Acaso ya no me querían? Tuve que huir, yo, que nunca lo había hecho.

»Cuando ya me encontraba muy lejos de la manada y a buen recaudo, empecé a pensar que, si bien era cierto que siempre me habían obedecido, estaba claro que probablemente sólo lo habían hecho por miedo y no por respeto, y mucho menos por cariño.

»Creía que me trataban como el líder que yo creía ser; pero no, no tenía autoridad natural, sólo tenía la que la posición de rey me daba, y ahora que ya no la ostentaba, no era nadie.

»Mientras seguía con mis pensamientos, reflexionando sobre lo ocurrido, lamentando mi suerte y sin saber qué sería de mi vida, se acercó volando un hermoso pajarito; suavemente se posó sobre mi oreja y me dijo:

»—Sé lo que te ha pasado, me parece que necesitas a alguien que te ayude a reflexionar sobre tus acciones y entender por qué te encuentras ahora en esta situación. Pero sobre todo que te pueda echar una mano para saber cómo enfocar tu nuevo destino.

»Yo, en mi desesperación, le escuché atentamente y le pregunté:

»—¿Quién, quién puede ayudar a este viejo?

»—Yo conozco a ese alguien que, a buen seguro, te puede brindar la ayuda que necesitas. Se trata de un coach —respondió el pajarito.

»—¿Un coach? —repetí con incredulidad—. Nunca antes he oído esa palabra.

»—Hazme caso: ¡busca al coach! —insistió el pequeño pájaro.

»—¿Y dónde lo puedo encontrar?

»—Generalmente está en el Bosque Animado... —me contestó.

»Así que, como no tenía nada que perder, le di las gracias y decidí emprender el viaje para hablar con aquel personaje y comprobar si realmente podía ayudarme.

»Socri, tú que vives aquí, ¿conoces quién es y dónde puedo encontrarlo?

—No, lo siento, no puedo ayudarte, jamás he oído hablar de él.

El león se puso aún más triste.

—Si quieres, yo puedo acompañarte mientras lo buscas, me gustaría saber quién es, y quizá también pueda ayudarme —se ofreció Socri, que había advertido la decepción del león.

Rey lo miró con asombro.

—¿Ayudarte a ti? Pareces muy contento aquí, en el Bosque Animado.

Una expresión de melancolía asomó a la cara de Socri, y le contestó:

—Sí, es verdad que me encuentro bien aquí en el bosque, pero tengo que confesarte que no estoy por propia voluntad.

—¿Qué quieres decir?

Socri salió cabizbajo del agua, se sacudió, se sentó sobre sus cuartos traseros y, a continuación, le contó la siguiente historia:

—Yo tenía, hasta hace muy poco, un trabajo que me gustaba mucho. Cuidaba un rebaño grande de ovejas, corría por los verdes pastos con ellas y las conducía hacia donde podían saciar su hambre y su sed. Mi amo me daba palmaditas en el lomo en señal de que estaba contento con mi labor, y también, de vez en cuando, me daba un enorme hueso que yo roía con deleite.

»Un día, de esto no hace mucho, vinieron unos hombres con camiones, abrieron las puertas de los furgones y fueron metiendo una tras otra a todas las ovejas. Yo quería defenderlas y llegué incluso a morder a uno de ellos, que me atizó con un enorme palo.

»Entonces fue cuando mi amo vino hasta donde yo estaba y me dijo:

»—Querido Socri, he vendido todas las ovejas a una multinacional porque me daban mucho dinero. Yo ya estoy mayor, y con ese dinero me podré retirar y vivir sin trabajar. Ya no puedes seguir conmigo, ya no te necesito. Te doy la libertad.

»Yo no entendía nada, estaba desconcertado, llevaba muchos años con él, había comenzado como aprendiz, y él me había enseñado todo lo que yo sabía.

»Creí que siempre estaríamos juntos, yo le era fiel y nunca me había planteado irme a trabajar con otro pastor, y eso que había tenido ofertas muy atractivas.

»Ciertamente, me sentía feliz realizando las funciones que me había encomendado y con la responsabilidad que ejercía. Además, mi amo me demostraba que confiaba en mí y hasta me manifestaba afecto. Habíamos hecho juntos miles de kilómetros. No entendía qué pasaba, ¿por qué me decía que ya no me necesitaba?

»Una vez que los hombres hubieron cargado todas las ovejas, él se dirigió hacia uno de los camiones; yo lo seguí. Se detuvo, me miró y repitió las mismas palabras que me había dicho anteriormente: no me necesitaba, me podía marchar. Pero no le hice caso. Era la primera vez que le desobedecía.

»Buscó en su zurrón y me tiró un trozo de carne. Nunca antes la había probado, pero no me apetecía, también me dio un enorme hueso y me gritó:

»—Aquí tienes un buen premio por los servicios prestados. No me sigas, no tengo más trabajo, no puedes venir conmigo, vete por otro camino.

»Se subió a uno de los camiones, que arrancó rápidamente. Yo lo seguí durante un buen rato, pero el camión se alejaba más y más, yo me cansaba de correr y las patas me empezaban a sangrar, hasta que no pude más.

»Después, desorientado, empecé a caminar lentamente sin saber qué hacer ni adónde ir, hasta que llegué a este bosque. Desde entonces vivo aquí.

Socri continuó con su relato.

—Deambulo por todo el bosque, recorro sus senderos, pero las horas transcurren lentamente y no sé cómo emplear mi tiempo, no tengo nada concreto que hacer, y esto me hace sentir inútil. A veces pienso que ya no sirvo para nada, sólo para comer y dormir. He hecho algunos amigos, no estoy solo, pero... no me gustaría acabar mi vida de esta forma, así que si dejas que te acompañe, me sentiré útil, porque estaré haciendo algo que pienso que es importante. Éste es un entorno desconocido para ti y yo puedo serte de utilidad y cuidarte.

Rey había escuchado atentamente la historia

de Socri y sentía compasión por él, pero al oír el ofrecimiento del perro, le gritó:

—¡Tú, un simple perro! Dices que vas a cuidar de mí. Te olvidas de quién soy. —Y lanzó un estruendoso rugido.

Socri se puso en pie rápidamente y dio un brinco hacia atrás, pero, una vez recuperado del susto, insistió:

—Los dos estamos solos, y ante un desafío como el que te planteas, yo te propongo que trabajemos juntos uniendo nuestros esfuerzos. Nos cuidaremos mutuamente y quizá de esta forma podamos encontrar antes a ese personaje conocido como el coach.

Rey lo miró pensativo y, después de unos breves segundos, le dijo:

—Está bien, me parece una buena idea, te acepto como compañero de viaje.

Dicho esto, decidieron emprender el camino.

No sabían muy bien qué dirección tomar, así que se pusieron a analizar la situación.

—¿De dónde vienes tú? —preguntó Socri.

—Del norte —contestó Rey.

—Entonces, si te parece bien, vayamos hacia el sur —propuso el perro.

Y de esta forma iniciaron su andadura.

Nada más comenzar el camino, Socri sintió

un cosquilleo en el estómago, y esto le recordó que todavía no había desayunado. Le hizo saber a Rey lo hambriento que estaba y éste repuso que también estaba muerto de hambre, puesto que no había comido demasiado desde que había dejado su territorio; no sabía cómo conseguir alimentos al estar acostumbrado a que cazaran para él.

—Yo no sé cazar, pero si te parece, podemos comer frutos y otros alimentos que vayamos encontrando. ¡Te vas a convertir en el primer león vegetariano!

Y dicho esto le ofreció unos frutos que estaban en el suelo.

Una vez saciado parcialmente el apetito, prosiguieron su camino. Se los veía muy contentos, pues ambos habían abandonado la soledad. Rey veía en Socri un buen compañero de viaje, que además le podía proveer de alimentos y, lo más importante, se sentía cuidado y no temido. Socri pensaba que tenía otra vez a alguien en quien confiar y, además, volvía a sentirse útil.

Conforme iban avanzando, el día se volvía más luminoso; todo el bosque estaba animado, y sus criaturas realizaban las tareas matutinas.

Un pájaro iba y venía de aquí para allá llevando comida a sus retoños, que lo aguardaban impacientes con los picos abiertos y emitiendo continuos reclamos.

Miles de hormigas, en una fila sin fin, llevaban enormes cargas hacia el hormiguero comunitario.

Las flores de vivos colores atraían a las abejas para que extrajeran su delicioso néctar.

Socri, que era muy goloso, se imaginó lo buena que debía de estar la miel de una colmena y, aprovechando el vuelo que una abeja realizaba alrededor de una de sus orejas, le dijo:

—Buenos días, señora abeja, tengo mucha hambre, y mi amigo el señor león también. Además, estamos recorriendo un largo camino y nos gustaría reponer fuerzas; para ello, nada mejor que probar un poco de la miel que tan deliciosamente debéis de elaborar en vuestra colmena.

La abeja escuchó con atención la petición de Socri, y le contestó:

—Yo no puedo disponer de lo que no es mío. Las abejas trabajamos en equipo, todo lo que producimos pertenece a todas; debería consultar con el resto y preguntar si están de acuerdo en ofreceros un poco de nuestra miel.

Dicho esto, la abeja voló en dirección adonde estaban el resto de sus compañeras y les pidió su opinión.

—Es fruto de nuestro trabajo. Si quieren miel,

¿por qué no se la fabrican ellos? —dijo una de las abejas.

—Podemos darles un poco, pero no mucha, porque nosotras también la necesitamos —añadió otra.

—Podríamos ofrecérsela como un regalo y así apreciarán lo buena que está y lo bien que la elaboramos. De esta forma podrían hacernos publicidad y así luego lograríamos venderla a algunos posibles clientes que todavía no conocen la bondad de este producto —intervino una tercera.

Ante este argumento, las demás movieron las alas con gesto afirmativo, y acordaron que esta última idea era muy buena, y que por tanto accederían a su petición. Les darían a probar una muestra, siempre y cuando se comprometieran a promulgar las excelencias del producto cuando tuvieran ocasión de hacerlo.

Tanto Socri como Rey estuvieron de acuerdo con esta propuesta.

Entonces, las abejas les ofrecieron una cantidad suficiente que hizo las delicias de los dos. Rey en particular quedó gratamente sorprendido de lo sabroso que estaba ese manjar. Se sentía feliz, estaba descubriendo nuevos mundos y, por primera vez en su vida, hacía amigos que no le temían.

KONFI

KONTI

Iban los dos nuevos amigos caminando con renovadas energías, pensando cuándo y dónde podrían encontrar al citado coach y cómo lo reconocerían, cuando de pronto algo se movió entre las piedras.

—¡Quieto! —gritó Socri a Rey.

Rey se detuvo en seco, sin atreverse a mover una de las patas que había quedado suspendida en el aire.

Socri avanzó de forma sigilosa; con mucha cautela apartó una de las piedras y ¡zas!, allí estaba, una enorme serpiente. Los dos se quedaron petrificados, mirándose. Socri conocía la peligrosidad de las serpientes, había visto cómo una, años atrás, había atacado a una de las ovejas de su rebaño, y lo horrible de su agonía.

Pensó rápidamente y tomó la decisión de que

lo mejor era no demostrar el pánico que le provocaba. Evidentemente, la solución tampoco estaba en enfrentarse. La única alternativa que se le ocurrió fue intentar congraciarse con ella y ganar tiempo.

Así que, con un tono de aparente seguridad, le dijo:

—¡Oh! ¡Qué hermosa eres, qué piel más maravillosa tienes! Y qué considerada has sido al no hacer ruido para no asustarnos.

Ante la sorpresa de oír por primera vez en su vida halagos de tal calibre, la serpiente le hizo una mueca, amago de una sonrisa, y contestó:

—Muchas gracias, señor perro, me resulta muy halagador que te percates de mis cualidades y habilidades. —Mientras decía esto, parecía que bajaba la guardia y adoptaba una actitud más amistosa—. ¿Qué haces por aquí y con una compañía tan peculiar? —Se refería a Rey.

Socri le contó brevemente el motivo del viaje, a lo que la serpiente contestó:

—¡Oh! Qué aventura más excitante. —Y a continuación añadió apresuradamente—: ¡Me gustaría ir con vosotros!

Socri, al oírla, se quedo atónito, y empezó a pensar rápidamente en las posibles consecuencias que se podían derivar de su respuesta. Por

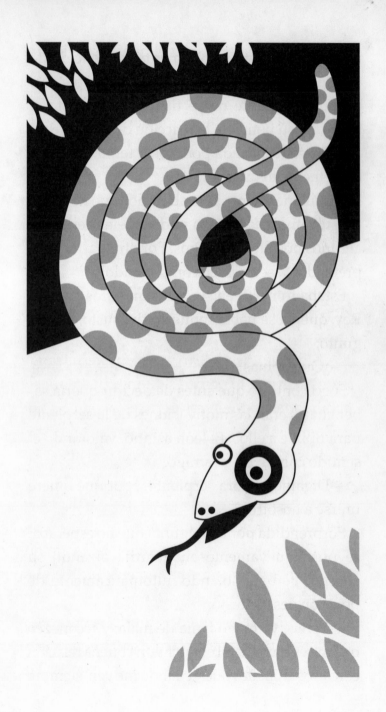

una parte, no estaba totalmente convencido de que fuera una buena idea que los acompañase, porque realmente no se fiaba de ella; pero si rehusaba su petición, la reacción de la serpiente al sentirse rechazada podría ser temible, y probablemente los atacaría.

Simultáneamente pensaba: ¿por qué no aceptar su compañía? Quizá podría defenderlos de algunos posibles enemigos. Por otra parte, ¿qué pretendía la serpiente acompañándolos?

Estaba inmerso en sus pensamientos cuando Rey, que ya se había repuesto del susto, le preguntó:

—¿Qué opinas?

Socri contestó que antes de decidir quería saber cuáles eran las motivaciones de la serpiente para unirse a ellos. El león asintió, valorando el sentido común de su amigo.

—Dígame, señora serpiente, ¿por qué quiere unirse a nosotros?

Sorprendida por la pregunta que no esperaba, se puso nuevamente en guardia alzando su cuerpo, pero cambiando automáticamente de posición, les contestó:

—Veréis, yo tengo fama de mala, y reconozco que me es muy difícil entablar una buena relación con otros animales pues, cuando me ven, siempre huyen y no quieren saber nada de mí. Ya sé que a veces he tenido que atacar a alguien, pero es evidente que casi siempre me he visto obligada a hacerlo por pura defensa. —Y prosiguió—: Yo siempre ando sola, no tengo un grupo al cual sentirme unida, soy muy independiente, y tampoco muestro mis sentimientos ni emociones, pero, en el fondo, me siento triste y muy sola. Me gustaría saber de qué forma podría cambiar mi situación y encontrar un entorno que me fuera más grato y..., por qué no, hacer amigos.

Socri y Rey cruzaron sus miradas y ambos acordaron que podría ser una buena idea compartir sus aventuras con la serpiente, aunque les producía cierta intranquilidad y no se fiaban totalmente. Por lo que al final le dijeron:

—De acuerdo, señora serpiente. Pero primero debes prometer no atacar a los miembros de este equipo, en el cual te integras como un miembro más y cuyo objetivo es conseguir, entre todos, alcanzar una meta: encontrar al coach.

Ante esta petición, la serpiente decidió aceptar la propuesta, y con cierto ceremonial dijo:

—Prometo integrarme en este equipo, no atacar a ninguno de sus miembros y colaborar para alcanzar el objetivo propuesto. Podéis confiar plenamente en mí.

Dicho esto, fue aceptada, y así fue como reanudaron de nuevo el camino.

Pasados unos segundos, Socri le dijo cuáles eran sus nombres y le preguntó el de ella. La serpiente explicó que nadie le había puesto un nombre, pero que le gustaría tenerlo.

Socri se detuvo un instante y, después de meditar cuál podría ser un nombre adecuado, le propuso:

—¿Qué tal si te llamamos Konfi?

La serpiente se quedó un momento callada y pensativa, y contestó:

—Me gusta. Vale, a partir de ahora ése será mi nombre: Konfi —repitió.

Iniciaron de nuevo su andadura, y al cabo de un rato Konfi vio que le era imposible seguir el ritmo de sus compañeros. En ese preciso instante sacó la lengua dándoles un buen susto.

—¿Qué haces? —le preguntó de forma un tanto brusca Rey.

Konfi observó la forma en que Rey se ponía a la defensiva y le dijo con cierto tono de agresividad:

—¿Qué pasa, no te fías de mí? He dado mi palabra de no atacaros y voy a cumplirla.

Socri vio que la situación se estaba poniendo tensa e intentó calmarlos.

—Tranquilos, tranquilos, por favor, os recuerdo que formamos un equipo y que todos tenemos el mismo interés, que es llegar a encontrar al coach.

Entonces, esbozando una sonrisa conciliadora, se dirigió a Konfi:

—¿Podrías decirnos si te ocurre algo?

Konfi, ya más tranquila, respondió:

—Yo no tengo patas para andar y no puedo arrastrarme a la velocidad que vosotros camináis, me es imposible seguir vuestro ritmo.

Todos se quedaron pensativos, buscaban una solución.

Rey, a quien todavía no acababa de gustarle la compañía de Konfi, pensaba en su fuero interno que lo mejor era que no viajara con ellos; pero Socri, después de reflexionar sobre la situación, planteó una posible solución, y dirigiéndose a Rey le propuso:

—Tú, que eres tan fuerte y tan grande, podrías llevar a Konfi enrollada en el cuello. ¿Qué te parece?

La expresión de la cara del león fue de terror; su cuerpo se encogió y adoptó una posición de defensa, seguida de otra de ataque y fuerza para expresar su disconformidad con la propuesta. No pudo articular ningún sonido ante la sorpresa de lo que consideraba una idea descabellada.

Por un lado, deseaba expresar de forma clara y contundente su opinión sobre lo que consideraba una locura, pero al mismo tiempo temía que su respuesta pudiera herir los sentimientos de Socri y de Konfi; como consecuencia de ello podía quedarse de nuevo sin compañía. No osó decir nada, pero en su fuero interno no quería acceder a una petición que le parecía del todo inaceptable.

Socri observaba los movimientos de su amigo y podía interpretar su lenguaje corporal, que decía claramente que la propuesta no era de su agrado y, aunque imaginaba por qué, decidió que lo mejor era afrontar la situación de forma abierta.

—Rey, ¿de qué tienes miedo?

El león, mostrándose muy ofendido, contestó:

—Yo no le tengo miedo a nada, no olvides que soy el rey león.

Pero Socri, al observar que el lenguaje oral carecía de coherencia con la expresión corporal y con la emoción que mostraba el león, insistió:

—Rey, por favor, reflexiona y sinceramente dime de qué tienes miedo. ¿Qué crees que puede suceder?

Rey lo miró desconcertado y, después de unos segundos, contestó procurando evitar mirar a Konfi:

—Sinceramente, no me fío de las serpientes; siempre he oído decir que son traidoras, y pienso que en algún momento puede tener el instinto de atacar y morderme, y si eso sucede, me puede matar. Pero, por otra parte, también pienso que si me niego os vais a enfadar conmigo y que de nuevo me encontraré solo y triste. Por tanto, sí, es verdad, tengo miedo de que suceda cualquiera de las dos cosas.

—Presuponer que puede atacarte es un prejuicio, puesto que sólo te basas en suposiciones que se refieren a historias que te han contado de sus congéneres —le contestó Socri—. Recapacita y piensa que si le ofreces un margen de confianza, darás a Konfi la oportunidad de demostrar que el compromiso que ella ha manifestado es sincero. Si actúas así, estoy seguro de que se abrirán para todos nuevas posibilidades de conocernos y esto va a facilitar nuestras relaciones.

»También me gustaría que reflexionases sobre cómo te puede ayudar esta nueva experiencia, en el futuro, para poder ver las situaciones desde un punto de vista distinto, sin prejuicios. Actuar de esta forma ampliará enormemente tus posibilidades de aprendizaje y desarrollo en cualquier ámbito.

Rey lo escuchaba con las fauces abiertas, muy asombrado. Simultáneamente volvió con lentitud la cabeza hacia Konfi y fue entonces cuando vislumbró una expresión que no le había visto antes: se dio cuenta de que Konfi no parecía irritada ni enfadada, sino más bien triste y abatida.

En ese instante supo que, como él, Konfi llevaba una coraza que utilizaba como defensa. Vio claramente que lo que en realidad quería era que la aceptasen y poder formar parte de un equipo que quería conseguir un objetivo común y válido para cada uno de ellos: encontrar al coach.

Pasaron unos segundos, todos estaban en silencio. El león sabía que tanto Socri como Konfi estaban pendientes de su decisión por lo que, después de reflexionar y valorar las nuevas perspectivas que se le brindaban, dijo a Socri:

—Vale, te entiendo y creo que tienes razón. Nunca me había planteado una situación así, y ahora me doy cuenta de que estar abierto a nuevas experiencias, sin prejuicios de ninguna clase, me abre un nuevo mundo de oportunidades; reconozco que con mucha probabilidad tienes razón. —Entonces, dirigiéndose a Konfi y procurando mostrar lo mejor de sí mismo, le dijo—: Te ruego que aceptes mis disculpas, Konfi, siento haber desconfiado de ti, te brindo mi amistad y me encantaría que aceptaras mi ofrecimiento. —Y continuó—: Dado que tanto Socri como yo somos conscientes de tu dificultad para seguir nuestro ritmo, te ofrezco la posibilidad de que te enrolles en mi cuello para proseguir la marcha; así podrás compartir con nosotros esta aventura.

La serpiente esbozó su mueca-sonrisa y, conmovida, contestó:

—Agradezco tu comprensión y el esfuerzo que estás haciendo. Estoy encantada de aceptar tu oferta.

Dicho esto, se subió al cuello de Rey, procurando enroscarse de la mejor manera posible sin enredarse con la voluminosa melena.

—Estamos listos. ¿Seguimos? —preguntó Socri.

Los dos afirmaron con la cabeza, y todos juntos emprendieron de nuevo el camino.

Konfi se sentía segura y, después de la tensión pasada, se relajó y entornó los ojos al tiempo que reflexionaba sobre lo sucedido preguntándose: «¿Hasta qué punto he provocado esa situación y esos sentimientos de recelo que no me ha mostrado sólo el león, sino también los demás? ¿Por qué todo el mundo me teme y huye nada más verme? ¿Por qué no tengo amigos?».

Prácticamente hasta este momento nunca había reflexionado sobre su propio comportamiento, siempre había pensado que los demás tenían la culpa de todo lo que le sucedía. Comenzó a plantearse si era aquello lo que quería o, por el contrario, ambicionaba un nuevo tipo de vida. Las dudas la asaltaron: ¿podría cambiar realmente después de tantos años? ¿Qué quería conseguir? ¿Qué era importante para ser feliz? ¿Cómo podría lograrlo?

Mientras tenía estos pensamientos, Konfi seguía enroscada en el cuello de Rey; una sensación placentera recorría su piel, no estaba tensa, al acecho, no pensaba en atacar o en que iba a ser atacada. Se sentía protegida y, por primera vez en su vida, tenía la impresión de que no estaba sola y de que el mundo no estaba en su contra.

Nuevas emociones se despertaban en su interior: gratitud, ternura. Se sentía feliz, y tenía la intuición de que ese viaje y el encuentro con el coach la ayudarían a emprender una vida distinta.

El día avanzaba, el sol en lo alto iluminaba el bosque, la temperatura subía y el ajetreo matutino de las criaturas que habitaban el bosque empezaba a disminuir. Socri miró a sus compañeros de viaje y les propuso hacer una parada para comer y descansar.

—¿Qué os parece si tomamos algunos frutos y dormimos un rato antes de seguir nuestro camino?

A todos les pareció bien la idea de reponer fuerzas pues, entre el recorrido que llevaban y las emociones derivadas de las diversas situaciones, se sentían algo cansados.

Decidieron reposar debajo de un árbol enorme y atiborrado de un apetecible fruto de color rojo intenso que estimuló el apetito de todos. Rey bajó la cabeza hasta casi tocar el suelo para que Konfi pudiera descender de la forma más cómoda.

—¿Cómo pensáis llegar hasta donde se encuentran los frutos? Están muy arriba —les preguntó Konfi una vez en el suelo.

—Podríamos zarandear con fuerza el tronco para conseguir que caigan —respondió Socri.

—Me parece una buena idea, pero ¿qué os parece si yo subo enroscándome al tronco, voy tirando los frutos y vosotros los recogéis? —propuso Konfi.

—¡Oh! ¡Estupenda idea! —gritó Rey lleno de júbilo.

Decididos, se pusieron manos a la obra.

Konfi trepó de forma sigilosa y pausada, estirando su cuerpo. Tomó el primer fruto a su alcance y lo lanzó hacia Socri que, dando un salto, lo atrapó con la boca y lo colocó en el suelo. Repitieron varias veces la misma acción hasta tener un buen montón, momento en el que decidieron que ya tenían suficientes.

Konfi descendió del árbol y los tres amigos, en franca camaradería, compartieron el ágape.

Una vez que dieron buena cuenta de todos los frutos, se tendieron sobre la hojarasca para dormir una buena y merecida siesta. Rey, con la barriga muy llena, se puso boca arriba. Socri le apoyó la cabeza encima y Konfi se enrolló entre los dos.

Pasado algún tiempo, el sol decidió atenuar su intensidad y una suave brisa acarició la piel de nuestros amigos. Socri fue el primero en percibirla y esbozó una ligera sonrisa. Se removió ligeramente, lo que provocó que Rey abriera los ojos y lanzara un potente rugido que, a su vez, despertó a Konfi de un profundo sueño, no sin un ligero susto.

Una vez que estuvieron los tres despiertos, Socri les dijo:

—¿Qué os parece si reiniciamos el camino, ahora que estamos descansados?

Rey, antes de levantarse, ofreció a Konfi su cuello para que se encaramase. Ella se lo agradeció de forma explícita, diciéndole:

—Eres muy amable, Rey, sé que voy a estar muy cómoda y tranquila yendo contigo.

Rey sintió en su interior una punzada de satisfacción y un cierto orgullo al experimentar, quizá por primera vez en su vida, la sensación de ser útil al tiempo que se sentía valorado y apreciado.

TOPO

Llevaban cierto tiempo caminando en silencio, cada uno enfrascado en sus propios pensamientos, cuando se les cruzó un topo que iba corriendo.

—¡Alto! ¡Alto! —le gritó Socri.

Topo los miró asustado y se detuvo de golpe. Socri intentó acercarse, pero Topo empezó a correr en la dirección opuesta. Socri, viendo el miedo que mostraba, le gritó:

—Detente, por favor, no queremos hacerte ningún daño.

Topo frenó en seco y, realizando un evidente esfuerzo, le preguntó con voz muy baja:

—¿Qué quieres de mí?

—Sólo queremos hacerte una pregunta. ¿Conoces a un personaje, aquí en el bosque, al que llaman el coach?

—¿Cómo dices? —inquirió sorprendido.

—¿Que si conoces a un personaje conocido como el coach? —repitió Socri.

—¿El coach?

—Sí —insistieron al unísono Socri, Konfi y Rey.

—Pues no, nunca he oído hablar de él. ¿Me puedo ir ya?

Sin hacer caso a la pregunta, Socri continuó:

—¿Sabes de alguien que nos pueda ayudar?

—No, no, yo no sé nada, y además tengo prisa y quiero irme.

Socri observó que Topo estaba temblando y no pudo evitar preguntarle:

—¿Te pasa algo? ¿De quién tienes tanto miedo? ¿Por qué huyes de nosotros?

Topo comenzó a tranquilizarse y miró hacia el suelo. Parecía como si en cualquier momento fuera a desaparecer, su cuerpo se hacía cada vez más pequeño a ojos vista.

—Mi vida no importa a nadie; además, estoy en peligro. —Miró de reojo a Konfi—. Soy un buen bocado para quien tenga hambre. Tengo que marcharme, tengo que marcharme —repitió nuevamente.

Konfi observó que se refería a ella y, dándose por aludida, le espetó:

—¡Tranquilo, no voy a hacerte nada! Nosotros no queremos hacerte daño, sólo nos interesa realizar nuestra misión.

—Y ¿cuál es esa misión? —preguntó Topo, cada vez más tranquilo.

En ese momento la voz grave de Rey hizo su aparición, lo que provocó que Topo se asustara nuevamente.

—Te ruego que confíes en nosotros y escuches lo que queremos compartir contigo —le dijo Rey intentando modular el tono de su voz y hablarle con especial dulzura.

Relajándose ostensiblemente, Topo se dispuso a prestar la máxima atención a lo que querían contarle.

Todos intervinieron explicando sus propias historias personales y el porqué de haber decidido ir en busca de alguien que los ayudara a solucionar sus problemas. Topo escuchó atentamente y cuando terminaron les preguntó:

—¿Vosotros creéis que ese personaje que parece tan mágico podría hacer algo por mí? —Antes de que pudieran contestarle, prosiguió—: Bueno, de todas formas, pensándolo bien, no creo que lo mío sea tan importante y quizá no valga la pena molestarlo.

Los tres amigos se miraron con cierta complicidad y le preguntaron casi al unísono:

—¿Cuál es tu problema?

Topo los miró con escepticismo y les contestó:

—No, no..., de verdad, si yo no tengo ningún problema como el vuestro, sólo que...

—¿Sólo qué? —preguntaron.

—Pues... —Dudó durante unos breves momentos y luego siguió—: De verdad, lo mío no tiene importancia; es mejor que no os moleste, puesto que vuestra misión es realmente trascendental. Yo ya me voy.

Socri, que intuía claramente que algo ocurría y no quería dejar las cosas de esa forma, asintió:

—Está bien, Topo; seguro que tú no tienes ningún problema importante, pero a nosotros nos sería de gran ayuda que nos pudieras acompañar, ¿no creéis? —preguntó dirigiéndose a sus dos compañeros de viaje.

Tanto Konfi como Rey asintieron, sin tener una idea clara de lo que pretendía su amigo.

—Yo, yo... —dijo Topo sintiéndose bastante desconcertado—, ¿en qué os podría ayudar un simple topo como yo?

—Pues verás, tú eres un gran conocedor de una parte del bosque de la cual nosotros lo ignoramos todo, la parte más profunda, la que está bajo tierra, donde se encuentran todos los secretos que esconde la madre naturaleza.

—Y ¿para qué os va a servir esto? —preguntó Topo asombrado.

—Pues, por ejemplo, seguro que hay momentos en que nos pueden acechar peligros y no tenemos forma de escondernos. Tú nos puedes enseñar a escarbar de una forma rápida para fabricar una galería que nos sirva de escondite y, así, evitar que nos descubran. También será útil para proporcionarnos alimentos, tales como raíces o bulbos, que nos ayuden a mantener la energía que necesitamos para hacer el camino.

Topo no se acababa de creer lo que estaba oyendo, nunca se había planteado que él pudiera aportar algo de tanta utilidad.

—¿De verdad piensas que yo os puedo ayudar? —insistió.

—Pues claro que sí —contestó muy seguro Socri—. Pero a nosotros también nos gustaría poder contribuir en algo que fuera útil para ti, así que, si en algún momento precisas nuestra ayuda, no dudes en decírnoslo; estaremos encantados de poder ofrecértela. Por favor, acompáñanos y así conseguiremos alcanzar nuestro destino de forma más segura. ¿Te decides a emprender esta aventura con nosotros?

Fue tan acertada la argumentación de Socri para convencerlo que Topo no pudo más que dar un sí a la invitación.

—De acuerdo —contestó.

Todos le dieron la bienvenida. Cuando emprendieron de nuevo el camino, Konfi los interrumpió.

—Sólo una cosa más: todos tenemos un nombre, ¿cuál es el tuyo?

Topo contestó que hasta ahora todos le llamaban «Topo», pero que también le gustaría tener un nombre propio.

—¿Cuál? —le preguntaron todos a la vez.

—Pues no sé, alguno que me hiciera pensar que soy especial y no un topo más del bosque.

Los cuatro amigos se quedaron cavilando, pero no acababan de dar con un nombre que pudiera parecer adecuado. Al final, y en vista de que parecía que no estaban inspirados, decidieron seguir el camino y esperar a que los hados del bosque los complacieran iluminando su corazón con alguna propuesta.

LAS HIENAS

LAS INFINTAS

Una vez más, siguieron el camino hacia su meta. De pronto, oyeron un murmullo de risas histéricas; Topo, que tenía una agudeza de oído extraordinaria, se detuvo y les pidió que se quedaran quietos, sin hacer el menor ruido. Todos contuvieron el aliento, bastante asustados porque no sabían qué estaba sucediendo.

Topo empezó a olisquear al aire, Socri lo imitó y también Rey, pero no podían discernir de dónde provenía aquel olor tan fuerte y algo desagradable que iba acompañado de un ruido cada vez más estruendoso.

—¡Hienas! Son hienas —repitió preocupado Topo en voz muy baja.

Rey creía recordar que en algún momento su manada había tenido un encontronazo con un grupo de hienas por la disputa de una pieza cazada, pero pensaba que, más bien, la hiena era un animal carroñero y bastante cobarde. Sin embargo, ante el temor que vislumbraba en Topo, optó por la prudencia y no dijo nada, puesto que tampoco estaba muy seguro.

Ni Socri ni Konfi habían visto nunca aquella especie animal y, por tanto, desconocían cuál podía ser su comportamiento. Topo, visiblemente consternado, les contó con una voz apenas audible:

—Son una especie muy malvada, siempre se burlan de todo y de todos. Menosprecian a casi todos los habitantes del bosque, por lo que están creando mal ambiente. Se envalentonan cuando alguno de los otros animales muestra alguna debilidad. Ya ha habido algunos ataques.

Todos se percataron del miedo que Topo les tenía.

Socri no quería creer que realmente fueran tan malvadas. Él no tenía ninguna experiencia en que basarse para formarse una opinión acerca de ellas, y no quería prejuzgarlas.

—Topo, debo reconocer que yo no las conozco, y, por tanto, sin poner en duda lo que tú dices, me gustaría que nos contaras por qué tienes esta opinión tan negativa de las hienas.

—De acuerdo —dijo tragando saliva.

»No hace mucho tiempo, iba yo tranquilamente paseando por el bosque; era un día espléndido, había decidido que era una magnífica ocasión para... Bueno, veréis, me da un poco de apuro contar esto, pero... lo cierto es que hacía unos días que había observado a una topo hembra, muy bella, con unos enormes ojos rasgados y unas largas pestañas; en ella creí ver una mirada de complicidad cuando nos cruzamos en uno de los caminos. Pues bien, justo aquel día, y después de mucho pensar y ensayar cuál podía ser la mejor forma de abordarla, había decidido, por fin, confesarle mis sentimientos.

»Iba yo feliz, totalmente absorto en mis pensamientos y bastante despreocupado de mi entorno. Hay que decir que, normalmente, en el Bosque Animado no acostumbran a producirse situaciones peligrosas. Todos los habitantes nos respetamos y existe una buena convivencia, por lo que no percibí el peligro que me estaba acechando hasta que, de pronto, me encontré rodeado de varias hienas que comenzaron a amenazarme, a insultarme y a reírse de mí; me acorralaron y una se abalanzó sobre mí y me mordió el cuello. —Cuando dijo esto, les mostró una fea cicatriz—. Yo no sabía qué hacer, eran cinco o seis, y yo estaba solo, me sentí perdido;

intenté allí mismo hacer un hoyo en la tierra para tratar de protegerme, pero no pude. Casi perdí el conocimiento, notaba que me asfixiaba, creí que era mi fin. Pero en ese preciso momento oí un aullido penetrante y, prácticamente al mismo tiempo, la agresión cesó. No sabía si estaba vivo o muerto hasta que advertí que el aire volvía a mis pulmones; abrí los ojos y pude ver que las hienas se habían ido y en su lugar había un magnífico lobo. Sí, ya sé que tiene mala prensa, pero a mí me salvó la vida, y sé que no es la primera vez que actúa de la misma forma. Él ahuyentó a las hienas. El lobo me preguntó cómo me encontraba, al tiempo que me ayudaba a incorporarme, puesto que yo estaba bastante maltrecho. Me dijo que hacía poco que aquel grupo de hienas se había instalado en el bosque, y que la fama de sus malas acciones se estaba haciendo notoria; de hecho, él ya había visto a aquella horda actuar contra otros animales, por lo que me aconsejaba que me alejara del lugar lo antes posible.

Después de la explicación, todos tuvieron la certeza de que las hienas eran animales peligrosos y de que había que actuar con prontitud.

Konfi pensó que ella podía defender a los miembros de su equipo delante de un grupo como aquél, y así se lo hizo saber a Rey susurrándole a la oreja; sin embargo, éste respondió que sola no podría atacarlas a todas. Quizá la mejor idea sería no enfrentarse a ellas.

Los amigos no sabían cuál era la opción más apropiada, estaban indecisos. Las hienas todavía no los habían detectado, pero no podían quedarse eternamente inmovilizados esperando a que ellas tomaran la decisión de marcharse o, en el peor de los casos, a que los descubrieran. Socri se había enfrentado con otra clase de animales, su amo le había enseñado cómo hacerlo, pero aquello sobrepasaba sus capacidades. Por primera vez sentía temor, pero sabía que tenía que sobreponerse. Si detectaban su miedo, estaba perdido; él y probablemente también sus compañeros de viaje, de los cuales se sentía responsable.

Discutieron en voz baja y cada uno de ellos propuso una solución. Valoraron todas las posibilidades para decidir cuál podía ser la mejor opción. La de Rey era marcharse sin hacer ruido y procurar que no los descubrieran, puesto que, aunque manifestó que había tenido alguna experiencia en este tipo de contiendas, se encontraba un poco mayor. Topo opinaba que no era una buena idea, pues si los sorprendían mientras huían, sería mucho peor. Konfi prefería enfrentarse y luchar directamente, pero Socri le dijo que no sabían exactamente cuántas eran y que el riesgo era muy alto.

Así estaban, sin saber qué hacer, cuando Topo tomó la palabra y les dijo:

—Las hienas viven en manadas por conveniencia, porque aunque son capaces de luchar entre ellas para conseguir la mejor pieza, también es cierto que por separado no son nada ni se atreven a atacar a nadie. Dicho esto, lo que os sugiero es que empleemos nuestra inteligencia y hagamos uso de nuestro espíritu de equipo para vencerlas. —Todos estaban absortos escuchando atentamente lo que Topo les proponía—. Yo soy rápido haciendo galerías bajo tierra —continuó diciendo Topo—, conozco el terreno y sé que es viable; además las hienas no tienen esta capacidad y van a tener dificultades para seguirme. Mi plan es mostrarme para que me vean y decidan perseguirme; ellas piensan que yo les tengo miedo, y así es, pero esta vez no estoy solo y ellas no lo saben, ésta es nuestra clara ventaja. Mientras están pendientes de mí, Rey rugirá todo lo fuerte que pueda, y la sorpresa hará que algunas se distraigan intentando identificar de dónde proviene el rugido. En ese instante, tú, Rey, sales a campo abierto para que te vean y corres en dirección opuesta a la mía con Konfi colgada de tu cuello. Lo más seguro es que se sorprendan de ver una cosa tan peculiar y algunas decidan ir tras vosotros. De esta forma, conseguiremos que se separen en dos grupos.

—Y yo, ¿qué hago? —preguntó Socri.

—Tú esperas, y cuando veas que se disgrega el grupo, corres directamente desde la retaguardia hacia el grupo más numeroso ladrando lo más fuerte que puedas; así conseguirás que se detengan para mirar quién viene por detrás. Cuando se den cuenta de que no van todas juntas, que están persiguiendo objetivos diferentes y que, además, uno de los grupos está siendo atacado por un perro fiero, seguro que deciden que el asunto se está complicando y que no va a ser tan fácil obtener la presa; lo más probable es que entonces piensen en reagruparse nuevamente para decidir qué deben hacer. —Topo siguió, mientras se iba animando—. Tú, Socri, cuando llegues a una distancia prudencial, y mientras ellas están perplejas decidiendo cómo actuar, das media vuelta y retrocedes; no se te ocurra seguirlas hacia su madriguera. Mientras tanto, nosotros ya estaremos muy lejos y no será interesante para ellas reiniciar nuestra persecución, puesto que seguro que tienen alguna víctima más propicia y que requiere menos esfuerzo por su parte. Siempre optan por la solución más cómoda y sencilla. ¿Qué os parece el plan?

—A mí me parece magnífico. Sólo tengo una pregunta: ¿dónde nos encontramos después? —dijo Socri, sorprendido gratamente por la inteligencia de Topo.

—¿Veis aquel pequeño montículo con un árbol enorme? Su nombre es secuoya, y está más o menos a una hora de camino. Cuando el sol prácticamente se esté ocultando, debemos encontrarnos allí. Será ideal para poder reposar esta noche —contestó Topo con decisión.

—¿Y vosotros qué opináis? —preguntó Socri dirigiéndose a Rey y a Konfi.

Rey, que estaba muerto de miedo pero no quería demostrarlo, sólo acertó a preguntar:

—¿Y si me alcanzan?, ¿si no paran de perseguirme y me alcanzan? Yo soy mayor y no puedo correr mucho.

Konfi, percibiendo el temor de su amigo, trató de infundirle confianza diciéndole:

—Rey, recuerda que yo voy contigo y soy tu amiga; un mordisco mío es letal y las hienas lo saben; si se acercan demasiado, corren el peligro de morir envenenadas. Además, piensa que seguro que es la primera vez que ven a un león con tan magnífica estampa y con una serpiente colgada del cuello. Sólo se acercarán para atemorizarnos, y debemos demostrar que no lo consiguen. Estoy segura de que un león rey como tú no se va dejar intimidar por una simple hiena.

—Vale, pero no te separes de mí, en mi cuello estarás segura —le contestó el león, que no tenía muy claro quién protegía a quién.

—¿Entonces, todos de acuerdo con la estrategia? —preguntó Topo.

—Sí —respondieron a la vez, con voces firmes.

—¡Adelante! —gritaron todos.

Dicho esto, y siguiendo el plan acordado, Topo inició la carrera. Cuando las hienas lo vieron se echaron a reír a carcajadas, a la vez que lo insultaban y comenzaban su persecución.

Topo se sentía valiente, no recordaba haber experimentado antes un sentimiento igual, tenía la plena seguridad de que su plan iba a funcionar. Con esa gran confianza en sí mismo y en sus posibilidades, afrontó la situación. Corría y corría como si a sus pequeñas patas les hubieran salido alas. Al llegar a un punto concreto, empezó a escarbar el suelo, que se abrió como un melón maduro, y penetró en sus profundidades con el convencimiento de que estaba construyendo un nuevo camino y de que las hienas no lo iban a amedrentar.

Rey observó el coraje de Topo y esto le infundió valentía y seguridad sobre su propio poder. Sin pensarlo más, y siguiendo las instrucciones, emitió un tremendo rugido. Fue de tal calibre que Konfi casi se cae de la propia impresión y sólo acertó a decir:

—¡Qué rugido más impresionante!

Rey, con el corazón henchido de satisfacción y orgullo, repitió el rugido una y otra vez.

Ante la espectacular demostración de fortaleza, las hienas se quedaron perplejas sin saber muy bien qué hacer. Al final, algunas, las más osadas, decidieron cambiar de rumbo y dirigirse hacia donde se hallaban Rey y Konfi, quienes, siguiendo también el plan acordado, emprendieron una veloz carrera. Socri, que observaba las acciones de sus compañeros, estaba admirado por la demostración de valentía tanto del aparentemente inseguro Topo como del increíble equipo que formaban Rey y Konfi. Él, a su vez, se sintió rejuvenecer y, recordando sus correrías, cuando estaba al cuidado de sus queridas ovejas, emprendió una loca carrera detrás del grupo más numeroso de hienas, que era el que perseguía a Topo.

Socri ladraba y ladraba con una alegría que creía haber perdido; sentía nuevamente que el fresco viento acariciaba su hocico, tiraba de sus orejas hacia atrás y atravesaba su ensortijada manta natural, penetrando en su interior a través de todos los poros de la piel y transmitiéndole una fuerza excepcional. Las hienas que hostigaban a Rey y a Konfi estaban ya algo recelosas y temerosas del poderoso animal, pero cuando observaron que del cuello le pendía un extraño collar con la forma inequívoca de una serpiente, se quedaron petrificadas por el susto y frenaron automáticamente su persecución. En ese mismo instante se acordaron de Topo y pensaron que era una presa mucho más vulnerable, por lo que decidieron que era mejor volver y unir sus fuerzas con el otro grupo para darle caza.

Sin embargo, cuál fue su sorpresa cuando al darse la vuelta vieron a un perro que ladraba con furia y hostigaba por detrás al grupo de hienas que estaba persiguiendo a Topo.

En ese instante advirtieron que la situación en la que se habían visto envueltas no les ofrecía garantías de éxito, por lo que, tras unos segundos de duda, decidieron replegarse hacia algún lugar seguro a la vez que emitían unos chillidos que daban a entender claramente su frustración y su rabia.

Mientras, el otro grupo perseguidor no sabía qué hacer: si enfrentarse a ese loco perro que corría hacia ellas con las fauces abiertas en una clara demostración de fuerza y fiereza, o seguir intentando encontrar algún rastro que les permitiera saber dónde se hallaba Topo.

En ese instante observaron que sus compinches habían cejado en la persecución del león y se estaban replegando. No tenían una idea clara de qué estaba pasando, pero ante la incertidumbre de la situación decidieron que era mejor no correr riesgos y optaron por emprender la retirada y unirse al otro grupo.

Rey, al observar que ya no los perseguían, moderó su velocidad y poco a poco se fue sosegando, mientras respiraba con profundidad para reponerse. Sin embargo, Socri, cegado por un instinto innato, no desistía en la persecución de las hienas, y acortaba paulatinamente la distancia que los separaba sin percatarse de que estaba entrando en un terreno peligroso, y de que si las hienas conseguían reagruparse no iban a dudar en atacarlo.

Konfi, que tenía una vista excepcional y que había estado atenta a todo lo que ocurría, observó la reacción de Socri y en ese momento percibió que algo trágico estaba a punto de suceder.

Inmediatamente decidió poner a Rey en antecedentes, le comunicó su preocupación y lo instó a acudir en ayuda de Socri. Rey la escuchó atentamente y, sin pensarlo, emprendió el camino hacia donde estaba el perro con la clara intención de hacer lo que fuera para salvar a su amigo.

Sin embargo, rápidamente se dio cuenta de lo arriesgado de la nueva situación, que podía conducirlos nuevamente al punto de inicio. Detuvo con brusquedad su rápida carrera, lo que provocó que Konfi casi se desprendiera de su cuello por el efecto del frenazo.

—¡Ay! ¿Qué pasa? —gritó Konfi, temerosa de caer y ser arrollada y pisoteada por Rey.

—No, no podemos caer en esa trampa. Debemos emplear el sentido común. Tenemos que conseguir que Socri se dé cuenta de su locura y retroceda —le respondió Rey.

Konfi lo miró con asombro y, sin atender a razones, le gritó muy alterada:

—¡No podemos abandonarlo a su suerte!

—No lo vamos a abandonar, pero razona: el plan de Topo era muy inteligente y ha salido como esperábamos; ahora las hienas están rabiosas por haber sido burladas y, si pueden, se vengarán. La situación es muy peligrosa.

—Tienes razón, Rey, pero, entonces, ¿qué hacemos?

Rey se sentó sobre sus cuartos traseros mientras reflexionaba en voz alta:

—Debemos conseguir llamar la atención de Socri. Si yo volviese a lanzar un rugido como el de antes, no sabrá por qué lo hago, y lo más probable es que se dé la vuelta y mire hacia nosotros para ver qué pasa; entonces, Konfi, tú debes conseguir atraer su atención para que retroceda. Tiene que darse cuenta de que está cometiendo un error y de que va a caer en una trampa.

—Me parece una buena idea —asintió Konfi.

—Debemos valorar —prosiguió Rey— que cuando Socri se dé cuenta de que estamos tratando de avisarlo puede actuar de dos maneras diferentes: puede venir hacia nosotros o bien seguir el plan inicial e ir al punto de encuentro. Con cualquiera de las dos alternativas, puede ser que las hienas decidan perseguirlo. Sólo se me ocurre que, si esto sucede, nosotros deberíamos ir hacia ellas y bloquearles el camino para conseguir que Socri salga indemne; ya hemos visto que las hienas nos tienen miedo, pero puede ser que esta vez decidan atacarnos, por lo que el plan no carece de peligro. —Dicho esto, Rey preguntó a Konfi—: ¿Estás dispuesta a asumir el riesgo?

Ante esta pregunta, sin un atisbo de duda, Konfi le respondió con firmeza:

—Yo os estoy muy agradecida. Vosotros habéis confiado en mí y sin vuestra ayuda yo no podría haber llegado hasta aquí. Tenemos un objetivo común que conseguir, y lo haremos todos juntos. Vamos allá.

Entonces Rey emitió uno de sus potentes rugidos, que se pudo oír en los más lejanos confines. Pareció que todo temblaba ante el estruendo, y las montañas devolvieron el eco creando todavía un mayor efecto.

Socri, al oír el rugido de su amigo, frenó en seco, mirando con sorpresa hacia el lugar de donde provenía el espectacular rugido; fue entonces cuando vio a Rey lo más erguido que podía y, encima de él, a Konfi haciéndole señales de que huyera. Pasaron unos segundos que tanto a Konfi como a Rey les parecieron eternos.

Socri comprendió lo que sus amigos intentaban decirle; miró a las hienas que perseguía y observó que se estaban reagrupando, a la vez que se dirigían hacia una zona angosta donde, a buen seguro, pensaban prepararle una emboscada.

Sin pensarlo más y acordándose del plan propuesto por Topo, giró en redondo, retomó el camino de vuelta y se dirigió hacia donde estaban Konfi y Rey, lo cual dejó a las hienas perplejas y lanzando gritos de desesperación y frustración por el ataque fallido.

Al ver la reacción de Socri, Konfi y Rey se quedaron unos instantes esperando a ver qué hacían las hienas, pero no pareció que éstas estuvieran dispuestas a perseguirlo.

Respiraron aliviados y corrieron alegres hacia Socri para ir juntos en dirección al punto de reunión. La anciana secuoya los estaba aguardando.

Topo llegó el primero al lugar del encuentro, y mientras esperaba decidió hacer acopio de algunos alimentos: frutas, raíces, bulbos, piñones... También preparó un lecho, improvisado con numerosas ramas, que situó debajo del enorme árbol que los iba a proteger de la humedad y el frío de la noche.

Al ver llegar a sus amigos, Topo corrió hacia ellos y todos se abrazaron y felicitaron.

Él, que no había podido ver nada de lo sucedido pero que, sin embargo, sí había escuchado la algarabía y los diversos gritos, estaba muy preocupado por la suerte de sus compañeros, y así se lo hizo saber.

—¡Qué feliz me hace volver a veros! Estaba muy preocupado por vuestra suerte, pero veo que estáis sanos y salvos. Contadme qué ha sucedido mientras descansamos y comemos.

Todos se sentaron en el mullido lecho de hojarasca que les había preparado, y mientras comían y comentaban las experiencias vividas, no pudieron por menos que sentir un gran orgullo por el éxito conseguido por el equipo.

Una vez finalizado el ágape, empezaron a bostezar. Estaban cansados. El día había sido realmente intenso, y decidieron que lo mejor que podían hacer era descansar para estar nuevamente frescos y poder continuar al día siguiente con su misión: la búsqueda del coach.

Nuestros amigos se acomodaron para poder dormir, pero antes se dirigieron a la luna, que ya asomaba sonriente y bella como siempre, y le rogaron que velara por su seguridad y los protegiera extendiendo sobre ellos su manto lunar.

EL BÚHO

Estaban nuestros amigos durmiendo profundamente cuando, de pronto, se oyó un suave ulular que iba adquiriendo un tono más elevado.

Socri, que tenía un oído muy fino, distinguió el peculiar sonido pero, sin hacerle demasiado caso, dio media vuelta y siguió durmiendo plácidamente.

Alguien murmuraba suavemente el nombre de cada uno, tratando de despertarlos de su profundo sueño:

—Socriii, Reyyy, Konfiii, Topooo...

Uno a uno fueron abriendo los ojos, sin percatarse muy bien de qué estaba sucediendo. Se miraron con sorpresa y, antes de que pudieran decir una sola palabra, oyeron nuevamente una voz que les hablaba:

—Hola, queridos y valientes amigos, soy un búho, mirad hacia arriba y podréis verme.

Todos elevaron sus miradas y sí, allí se encontraba un precioso búho que los miraba con evidentes signos de afecto y comprensión. Con las alas extendidas como si quisiera acogerlos en su regazo, sus enormes ojos transmitían confianza, pero también algo arcano.

Repuestos de la primera impresión pero todavía somnolientos, no sabían muy bien qué decir.

El búho habló de nuevo; su voz era serena y transmitía una agradable sensación de paz y tranquilidad:

—Solicito vuestro permiso para bajar y así poder estar más cerca de vosotros. —Dicho esto, movió con elegancia las alas, planeó moviendo el cuerpo armoniosamente y se posó junto a los asombrados animales—. Habéis tenido un día muy intenso y ajetreado que a buen seguro os ha deparado experiencias que han enriquecido vuestras vidas. Parece que todo lo habéis hecho por alcanzar una meta común, por encontrar a alguien que creéis que puede ayudaros a resolver algunas situaciones de vuestras vidas con las que no estáis del todo satisfechos, ¿estoy en lo cierto?

Todos movieron la cabeza en sentido afirmativo. No podían ocultar su evidente sorpresa,

puesto que no entendían cómo aquel búho podía conocer todas sus andanzas y las inquietudes que los habían animado a peregrinar todo el día por el bosque.

El búho esbozó una sonrisa amplia y les dijo:

—Estoy seguro de que ahora ya sabéis quién soy.

Nadie dijo nada, tal era el asombro que les producía el hecho de que ese búho pudiera ser el famoso coach al que estaban buscando.

—Lo primero que me gustaría deciros es felicidades, ya que habéis demostrado que sois capaces de enfrentaros a situaciones desconocidas, lo cual denota valentía y fortaleza para solventarlas. Y ahora decidme: ¿en qué os puedo ayudar?

Parecía que nadie se decidía a iniciar la conversación con el coach. Todavía estaban ligeramente aturdidos por los acontecimientos vividos y les producía cierta incredulidad que el coach, al que habían estado buscando, estuviera allí, delante de sus propias narices.

Todos se miraron entre sí. Al final habló Topo.

—Verá, señor búho, empiezo yo, si le parece bien... Aunque lo mío no es importante, pero ya que hemos llegado hasta aquí... Yo quisiera que me dijera cómo puedo tener más confianza en mí mismo.

—¿Qué es «más»? ¿Cuánta sería suficiente para ti? ¿Cómo la medirás? —le preguntó el coach.

—Pues no sé. Por ejemplo, me gustaría saber que puedo afrontar situaciones que para mí resultan difíciles, perder los miedos, creer que soy capaz de defender mis propias ideas, no estar siempre preocupado y pendiente de que los demás aprueben mi conducta...

—Topo, reflexiona y dime: ¿cómo crees que has conducido la situación que habéis vivido con las hienas?

—Bueno..., esto..., pues no sé... Yo preguntaría qué opinan los demás, habría que preguntárselo a ellos.

—Pregúntatelo a ti mismo, danos tu sincera opinión, y olvida por un momento la de los demás —insistía el coach.

—Pues, yo creo que bastante bien; pero jugaba con ventaja, dado que ya había tenido previamente una experiencia similar con ellas —empezó a contestar Topo.

—¿Para qué te ha servido la experiencia? —continuó el coach.

—Para no actuar de la misma forma.

—¿Para qué más, Topo?

—Bueno, pues para ayudar a mis amigos. He compartido con ellos mi primera experiencia y esto ha evitado que, quizá, hayan tenido un contratiempo desagradable.

—¿Qué más has conseguido? —insistió el coach.

—Casi perderles el miedo.

—Sigue, Topo, ¿y qué más?

—Pues, no sé.

—¿Quién ha ideado la estrategia para enfrentarse a las hienas? —lo ayudó el coach.

—Bueno..., yo.

—¿Y qué has tenido que hacer, Topo, para que el plan funcionase?

—Convencer a todos de que era una buena solución al problema que teníamos planteado —respondió éste.

—¿Crees que lo has logrado?

—Sí.

El coach continuó:

—Topo, no sólo has conseguido convencer a los demás de que era una buena estrategia, sino que el plan ha funcionado y habéis conseguido superar la difícil situación. Tú has contribuido de una forma muy eficaz a superar un obstáculo que impedía la consecución de vuestra meta, que era encontrarme a mí. ¿Estás de acuerdo con mi opinión?

—Visto así, pues sí. La verdad es que no me lo había planteado de esa forma —contestó Topo.

—¿Para qué crees que te sirve esta experiencia?

—Primero, coach, tengo que decir que he aprendido.

—¿Qué crees que has aprendido?

—Pues, a priori, que el hecho de compartir mis experiencias puede ser provechoso para otros. También creo que he aprendido que mis ideas pueden ser útiles, pero para ello primero debo creérmelas yo mismo. Esto es totalmente necesario para conseguir que se valoren mis aportaciones, y también para lograr convencer a los demás de la conveniencia de mis propuestas.

Topo se sentía cada vez más seguro de sí mismo.

—¿Qué pasaría si al final tus ideas no fueran aceptadas por los demás? ¿Cómo crees que te podrías sentir, Topo?

—Pues, quizá no demasiado bien, porque podría volver a pensar que realmente no son buenas y que por eso los demás no las aceptan.

—¿Y sentirás que te están nuevamente juzgando o minusvalorando? —seguía insistiendo el coach.

—Puede ser.

—Topo —dijo el coach—, piensa que cuando alguien manifieste no estar de acuerdo con tus propuestas, en ningún caso te está valorando o cuestionando, sino que está dando su opinión sobre si, desde su punto de vista, las soluciones que aportas pueden ser las más adecuadas o eficaces para solventar determinada situación. Debes entender que, al igual que tú tienes tus ideas, los demás tienen otras que pueden ser igualmente válidas; se trata de analizar y valorar cuál parece ser la más indicada. En numerosas ocasiones la solución más idónea surge del conjunto de las diversas aportaciones. Las conversaciones que mantenemos con otros nos proporcionan aprendizaje y enriquecimiento, implican escuchar y que nos escuchen con respeto, ser flexibles y permeables a nuevos o distintos pensamientos e ideas y estar sinceramente dispuestos a asumir nuevos conceptos. Todo ello, además, puede contribuir a que se alcancen acuerdos y compromisos beneficiosos para todos. Pero piensa en tu experiencia más reciente: has sido capaz de enfrentar una situación que parecía muy adversa, has sacado a la luz tus talentos y los has utilizado de una forma brillante, y con ello has conseguido lograr no sólo tu propio objetivo, sino que has facilitado que tus amigos también alcanzaran la meta. ¿Qué opinas?

—Que es cierto, no me lo había planteado así.

Casi siempre pienso que no soy capaz de hacer ciertas cosas, que no tengo ninguna habilidad. No me quería, y por eso pensaba que los demás tampoco me podían querer; pero ahora estoy viendo otras vías, otras posibilidades, entiendo que soy yo el primero que se lo ha de creer.

—Efectivamente —contestó el coach, y añadió—: Las barreras nos las ponemos nosotros mismos. Cuando pensamos «no voy a ser capaz» nos juzgamos de forma negativa, y eso hace que realmente no nos creamos que podemos hacer y conseguir aquello que queremos. ¿Cómo te sientes ahora, Topo?

—Muy bien, estoy mucho más satisfecho conmigo mismo.

—Me decías que no te gustaba estar pendiente de la aprobación continua de los demás. ¿Qué piensas con respecto a esto?

—Bueno, pienso que soy yo mismo quien debo aprobarme. Otra cosa es que me importe la opinión que los demás tengan de mí, porque creo que también es importante saber cómo nos perciben los demás y tratar de averiguar cuáles son los elementos que configuran esa percepción.

—De acuerdo —aprobó el coach—. Creo que de eso nos podría hablar Konfi. De todas formas, me gustaría saber cómo crees que puedes actuar a partir de este mismo instante para conseguir tu propia satisfacción.

—Me gustaría poder reflexionar más —contestó Topo después de pensarlo unos instantes—. Todo es muy reciente, pero, en principio, pienso que no debo quedarme estancado en mi comportamiento habitual, sino tener una disposición abierta a probar nuevas vías de actuación. Debo demostrarme que puedo vencer los miedos, desarrollar la confianza en mis posibilidades y, claro está, tener una valoración de mí mismo mucho más ajustada.

—Magnífica reflexión, Topo. ¡Te felicito de todo corazón! Estás dando un gran paso en tu aprendizaje. Por cierto, si no recuerdo mal, querías tener un nombre que te identificara como el ser especial que eres. ¿Has pensado ya cuál podría ser?

—Pues sí, me gustaría llamarme Salomón —dijo con asertividad.

Todos aplaudieron entusiasmados.

El coach se dirigió a Konfi instándola a participar:

—Hablábamos antes sobre el tema de las percepciones. ¿Te gustaría compartir con nosotros tus opiniones al respecto?

—¿Qué queréis que os cuente?

—Sólo lo que tú tengas necesidad de compartir. Has acompañado a tus amigos hasta aquí, imagino que con algún propósito.

Konfi seguía callada, no tenía muchas ganas de hablar. Es verdad que en un principio pensó que el coach podría ayudar a que emprendiera una vida nueva, pero ahora no estaba muy segura. Ella siempre había sido autosuficiente, no como Salomón. De hecho, era una superviviente nata, había sido capaz de entablar batallas y ganarlas.

No estaba muy segura de querer cambiar; tampoco le había ido tan mal en la vida. Y si al final decidía modificar alguna cosa, seguro que por sí misma estaría capacitada para hacer lo que tuviera que hacer sin ayuda de un simple búho.

Parecía que el coach adivinaba lo que pasaba por la cabeza de Konfi, y prefirió no forzar la situación. Sabía que los cambios nunca son fáciles, y, sobre todo, que lo más importante es que uno quiera realmente hacerlos. Se quedó callado, esperando.

En esos momentos, Rey intervino con determinación:

—A mí sí me gustaría que pudiéramos hablar

de mi situación. De hecho, yo inicié este viaje expresamente para verte, porque me dijeron que tú me podrías ayudar.

—Adelante, Rey, nos interesa mucho conocer tu historia —lo invitó el coach.

—Primero quiero deciros que yo he aprendido mucho durante mi viaje y que me ha servido para reflexionar sobre mi vida. Yo me había creído que era un líder indiscutible, la madre naturaleza me había hecho poderoso, nadie se atrevía a cuestionarme. Ya desde mi nacimiento estaba llamado a ser el rey de la selva. Mi padre lo había sido, y el padre de mi padre, así que era natural que yo ocupara su lugar y que todos acataran mi voluntad. Así viví en un mundo irreal, sin cuestionarme nunca mis propias capacidades ni valores. Me percibía a mí mismo como alguien que reunía todas las cualidades deseables en un rey. Nunca me planteé si tenía áreas que mejorar y, además, daba por supuesto que los demás tenían la misma opinión que yo. Cuando, un día, alguien se atrevió a cuestionar mi poder, no quise darle importancia; no pensé que aquello supusiera ningún peligro para mi autoridad hasta que fui expulsado de la manada. Entonces fue cuando empecé esta aventura.

—Cuéntanos, ¿qué crees que has aprendido?

—Mira, el coach: en primer lugar, que de una mala experiencia es de donde se aprende más. Si no me hubieran echado de la manada, yo nunca habría iniciado este viaje; gracias a él creo que ahora soy diferente y diría que mejor. También me ha permitido aprender el valor de la amistad: que te quieran y te respeten por lo que llevas dentro y por cómo eres o puedes llegar a ser realmente, y no por elementos externos como la jerarquía o un título que se te asigne.

—¿Y crees que para ello es necesario buscar nuevos mundos?

—Yo creí que era la única alternativa, y realmente ha sido una extraordinaria experiencia; sin embargo, ahora veo que si mi comportamiento hubiera sido distinto en mi entorno, también podría haber conseguido amigos allí. Creo, entre otras cosas, que debería haberme mostrado más cercano y más preocupado por ver qué podía aportarles, pero nunca me preocupé por sus inquietudes o sus necesidades. Yo ostentaba el título de rey, y por tanto tenía la convicción de que todos debían estar pendientes de mí. Nunca llegué a plantearme nada diferente, y nunca llegué a ver otras perspectivas.

—Por tanto —dijo el coach—, si entiendo bien lo que dices, ahora estás vislumbrando que hay otras realidades. Por decirlo de otro modo: que tú estás observando el mundo con distintos ojos y que esto te está abriendo nuevas posibilidades. ¿Me equivoco?

—No, no te equivocas. Realmente me siento renacer y sé que todavía tengo un largo camino que recorrer en mis aprendizajes. Lo esencial es que ya no me importa ser rey o no.

—¿Cómo quieres que sea tu vida a partir de ahora? ¿Qué te estás planteando?

—Como digo, sé que tengo un largo camino por delante y además tengo unos inmensos deseos de vivir; está claro que quiero que mi vida ahora sea diferente. Con las últimas vivencias he aprendido que se puede confiar en otros y que los demás también pueden hacer lo propio. Como fruto de esa confianza se logra generar amistad. También me gustaría poder ser de utilidad. ¡No soy tan viejo! Me he demostrado a mí mismo que esto era una simple excusa para no afrontar algunas situaciones. Hasta aquí lo que ahora mismo soy capaz de pensar y decir, pero creo que todavía necesitaré un tiempo para conseguir clarificar mis metas.

—Estoy seguro de que conseguirás todo lo que te propongas —le contestó el coach.

—Para empezar mi camino creo que debo ser

más humilde —prosiguió Rey—. Y aprender a conocerme mejor, aceptar que tengo áreas de fortaleza y también de mejora, y que si quiero evolucionar, debo poner un gran esfuerzo por mi parte.

Ante esta sabia respuesta, el búho dijo:

—Rey, me gustaría que reflexionases sobre lo que te voy a decir: todos los seres vivos tenemos la oportunidad de mejorar, pero para ello primero es necesario tener un conocimiento lo más amplio y ajustado posible de nosotros mismos; reflexionar acerca de dónde estamos y adónde queremos llegar; iniciar nuestro camino de mejora sin olvidar que debe ser duradero y constante en el tiempo y, por tanto, infinito; y que en más de una ocasión nos cuestionaremos y preguntaremos si vamos en la dirección adecuada; por último y no por ello menos importante, hay que saber que no siempre va a ser un lecho de rosas.

Rey, que escuchaba muy atentamente todo lo que el búho le decía, le respondió:

—Estoy de acuerdo contigo, y soy consciente de que no va a ser fácil.

A continuación, y dirigiéndose a sus amigos, Rey manifestó:

—Quiero comunicaros que he decidido que,

por el momento, quiero quedarme aquí, en el bosque.

Entonces, retomando la conversación con el búho, le dijo:

—Yo desearía pedirte que, como coach, me ayudes en mi camino de aprendizaje. ¿Querrás?

—Estaré encantado de poder colaborar en tu camino de búsqueda. —Entonces, el coach, dirigiéndose de nuevo al grupo, añadió—: Es importante que tengamos en cuenta que, además de las propias experiencias, también nos pueden servir de aprendizaje las de los demás, como ya hemos visto en el caso de Salomón. Por ello —continuó—, al hilo de la experiencia de Rey, me gustaría recordaros que las experiencias que vivimos como negativas, en realidad son positivas; además de ser de las que más se aprende, como muy bien ha dicho Rey, son regalos que nos ofrece la vida, pero en el momento en que nos los entrega, como no van envueltos en papel de celofán y con lazos de colores, no los identificamos como tales; habitualmente, sólo los valoramos de manera positiva con el paso del tiempo.

Todos se quedaron pensativos.

El búho hizo una pausa y añadió:

—Antes hemos hablado de percepciones. El tema todavía no ha sido abordado y creo que puede ser muy interesante conocer lo que pensáis al respecto. ¿De qué creéis que sirve la percepción que los demás puedan tener de nosotros?

En este momento, Konfi, que ya no podía resistir más lo que el fondo de su alma le pedía, dijo:

—Está bien, permitidme que intervenga ahora; creo que tengo mucho que aportar sobre la cuestión de las percepciones que los demás tienen de nosotros.

—Estamos ansiosos de que nos hagas partícipes de tus pensamientos y sentimientos —dijo el coach, contento de que Konfi tomara aquella decisión. Sabía que no le era fácil.

—En mi opinión, la mayoría de nosotros solemos actuar de acuerdo con nuestro modo de ser; por tanto, cuando los demás observan nuestras conductas, pueden llegar a tener una percepción de cómo somos.

—Según tu planteamiento, Konfi, entiendo que deberíamos reflexionar respecto a cómo nuestra conducta influye, de una u otra forma, en la percepción que los demás tienen de nosotros.

—Efectivamente, coach. Otra cuestión es la diferencia que existe entre tener una percepción o un prejuicio.

—¿Nos lo puedes aclarar? —la animó el coach.

—Lo intentaré. Si recordamos lo que sucedió ayer, por ejemplo, Rey presuponía que yo iba a tener una determinada conducta, pero lo cierto es que todavía no tenía ninguna prueba de cómo iba a comportarme. Lo que estaba haciendo era juzgar un hecho antes de que sucediera. Era un claro prejuicio. Probablemente —siguió explicando—, sus recelos provenían de tener referencias de comportamientos de algunos de mis congéneres. Por tanto, su opinión respecto a mí se basaba en efectuar una generalización sobre las serpientes y emitir un juicio sobre todas por igual.

—Bien, y ¿qué sucedió?

—El resultado de ello fue que, inicialmente, él no se fiaba de mí y tenía miedo de ser atacado; esto provocaba una respuesta determinada por mi parte, puesto que al percibir que él no se fiaba de mí, yo estaba casi predispuesta a actuar como él esperaba. Se había creado un círculo de desconfianza mutua que evidentemente no nos beneficiaba a ninguno de los dos. Para solventar la situación, se me pidió que realizase una promesa en la que me comprometía a no atacar a ningún miembro del equipo. Acepté la petición, y además les aseguré que podían confiar plenamente en mí. Yo adquirí un compromiso de actuación que cumplí.

—Konfi, si hubieras roto tu promesa y hubieras atacado a alguno de tus compañeros, y más concretamente al león, ¿qué crees que habría cambiado?

—Está claro que en ese caso yo habría sido totalmente responsable no sólo de romper una promesa, sino de transformar con mi conducta lo que inicialmente era un prejuicio en una percepción.

—¡Pero afortunadamente no fue así! —aplaudió el coach. El león asintió ante esta afirmación, y el coach esbozó una amplia sonrisa al ver la camaradería que existía entre Rey y Konfi. Y siguió—: Pero... si no estoy mal informado, hubo algún momento en que, a pesar de ese acuerdo, surgieron dudas por parte de Rey. ¿A qué crees que fue debido, Konfi?

—Los hábitos y los prejuicios condicionan y hasta puede ser que lleguen a invalidar los compromisos. En este caso Rey casi llegó a romper el compromiso que teníamos. Evidentemente, lo cómodo es no afrontar nuevos retos y quedarnos con los modelos antiguos que, más o menos, nos han servido hasta ese momento.

—Como tú dices, si nos han servido, ¿por

qué hay que cambiarlos? —la invitó a seguir el coach.

—Mmm... Pues yo diría que, desde mi punto de vista, si no exploras y abres ventanas para conocer nuevas cosas, te vas empobreciendo, porque siempre utilizas aquello que ya conoces, no indagas, no pruebas... El mundo es dinámico y cambia, existen nuevas situaciones y hay que gestionar nuevas experiencias. En definitiva, si no abres nuevas posibilidades que te vayan enriqueciendo puedes quedarte, por decirlo de alguna manera, fuera de juego.

—Si me permites, Konfi —intervino el coach—, te diré que estoy totalmente de acuerdo contigo. La experiencia de este viejo búho me dice que la mayoría de los seres nos movemos dentro de nuestro círculo de confort, que es aquel que conocemos y que nos ha funcionado; nos aferramos a nuestras viejas costumbres y tenemos cierto miedo a probar nuevas formas de comportamiento o a cambiar de hábitos. A veces, el hecho de encontrarnos ante situaciones totalmente nuevas nos obliga a identificar nuevas respuestas, puesto que las que conocemos quizá no son útiles. Pero lo que resulta más difícil es cuestionarnos si aquello que opinamos, o como actuamos, o la forma en que solucionamos los problemas, podrían ser diferentes. En definitiva, nos aferramos a los viejos estilos, y esto evidentemente limita las posibilidades de reflexionar, analizar, resolver y, al fin, de aprender. Siguiendo en la línea de lo que nos dices, Konfi, ¿qué sucedió para que Rey cambiara su opinión? —inquirió el búho.

—Creo, tal como yo lo veo, que se hallaba ante una situación que no sabía muy bien cómo resolver; sin embargo, en lugar de tomar el camino más cómodo, que habría sido dejarse llevar por los prejuicios, supo romper con ellos y dar una muestra de confianza. Posteriormente, ante una situación realmente peligrosa, el hecho de que tuviéramos una total confianza el uno en el otro hizo que la afrontáramos en la forma en que lo hicimos, y esto fue clave para el éxito de nuestra empresa. Los dos teníamos un objetivo común y luchamos para conseguirlo. Fuimos audaces.

»Pero, de todas formas, éste es mi parecer, no sé si él —en ese momento Konfi miró directamente a Rey con una amplia sonrisa— opina lo mismo.

Rey parecía estar un poco azorado por la situación. No hizo falta que dijera nada al respecto, puesto que se veía claramente, a través de la emoción que se reflejaba en su curtido rostro, lo que en esos momentos estaba sintiendo.

—Después de esta experiencia, ¿cuál crees que es la percepción de Rey con respecto a ti?

—En mi opinión, las experiencias que hemos vivido, tal como ya se ha comentado, han sido muy enriquecedoras, y lo más importante es que nos hemos dado la oportunidad de conocernos realmente. Ahora estoy segura de que la percepción que tiene de mí es muy diferente a la del inicio de nuestra relación, pues mis acciones han permitido que él pueda elaborar un juicio fundamentado.

—¿Es así? —preguntó el búho a Rey.

—Sí, es tal como cuenta Konfi. Tuve mis miedos, todo era nuevo para mí, pero ahora mi parecer ha cambiado radicalmente. Es más, entre mis aprendizajes también está el de reconocer la importancia de no tener prejuicios ni respecto a los demás ni en lo que se refiere a mí mismo. He de saber emitir juicios con fundamento.

—¡Magnífico, Konfi! Pero cuéntanos qué crees que esto te ha aportado.

—Bueno, digamos que cuando he escuchado a Rey hablar sobre la humildad, pues lo cierto es que me he sentido identificada. Es verdad que partimos de historias diferentes: yo me lo he tenido que ganar todo por mí misma y nadie me ha regalado nada; me vanagloriaba de no haber pedido ayuda nunca, y este hecho hacía que me sintiera muy orgullosa.

Ante esta respuesta, el coach le dijo:

—Konfi, el orgullo bien entendido, no como arrogancia sino como reconocimiento de tus competencias y de lo que has sido y eres capaz de hacer, es preciso para tu propia autovaloración. Observa, por ejemplo, el caso de Salomón: él debe sentirse orgulloso de su hazaña; tú misma, sin ir más lejos, debes considerarte orgullosa de tu arrojo cuando incitaste a Rey a luchar contra las hienas para salvar a Socri. Por cierto, creo que en esta hazaña tuviste que pedir ayuda.

—Sí, claro. Yo sola no habría podido hacer nada. Creo que el hecho de estar colgada en el cuello de Rey y, por tanto, formando un equipo compacto, hizo que las circunstancias cambiaran. De hecho, no puedo olvidar que desde el inicio yo no habría podido formar parte de esta expedición si Rey no me hubiera llevado.

—Cuéntanos, Konfi, ¿cuál ha sido tu descubrimiento personal cuando Rey y Socri te brindaron ayuda? —inquirió el búho.

—Ciertamente ha sido un gran acontecimiento para mí. Se han despertado en mi interior una serie de emociones que desconocía: gratitud, cariño, ternura, alegría.

—¿Y cuáles de las que habitualmente anidan en tu interior no han brotado?

—Agresividad, indignación, miedo, envidia, tristeza... —contestó Konfi, después de reflexionar un instante.

—¿Qué imaginas que puede pasar a partir de ahora si, cuando lo necesitas, pides ayuda? —prosiguió el coach.

—Pienso que la sensación es mucho más gratificante en todos los sentidos, no sólo por pedir ayuda, sino porque de esta forma también abro la puerta para que otros me la puedan pedir a mí. Es aceptar que por hacer una petición nadie se desvaloriza; al contrario, nos ofrecemos la oportunidad de enriquecernos mutuamente. Eso sí, sin olvidar que cada uno es libre de responder sí o no a una petición.

—Konfi, sólo me gustaría recordarte que todas las emociones forman parte de nuestro ser, y que no podemos ni debemos obviarlas. Esforzarnos en reconocerlas nos puede ayudar a identificar qué circunstancias provocan unas u otras y, de esta forma, podremos articular de manera más certera y propicia nuestras respuestas. También es importante conocer en qué estado anímico nos encontramos, y si solemos permanecer en alguno concreto.

—Sí, es cierto. Yo pensaba que estaba muy sola y que el mundo estaba en mi contra, lo que me hacía tener una continua sensación de angustia y a la vez de frustración; esto me llevaba a permanecer en un estado depresivo.

—¿Cómo quieres que sea tu vida a partir de hoy mismo, Konfi?

—Pues, por una parte, reconozco y valoro todo lo que soy. He hecho las cosas lo mejor que podía o sabía, y de algunas, no de todas, me siento orgullosa; por otra, acepto la necesidad que tengo de cambiar y mejorar en algunos aspectos con el objetivo de conseguir una vida que me sea grata. Busco tranquilidad y sosiego.

—¿Cómo crees que lo vas a conseguir?

—Primero reflexionaré sobre qué aspectos son prioritarios para poder trazar un plan de acción; en él deben quedar reflejados los comportamientos que quiero modificar, en qué tiempo quiero hacerlo y cómo voy a medir tales cambios. Así, evaluaré mis avances y podré observar de qué forma se da una transformación en mi ser, es decir, cómo soy capaz de interiorizarlos y, por tanto, de actuar.

—Konfi, ¿vas a hacerlo tú sola o vas a pedir ayuda?

—En principio lo haré sola; bueno, no todo, humm... Quizá una parte... porque en realidad yo tengo la fuerza y las ganas para hacerlo. Pero, bueno, probablemente necesitaré ayuda y entonces... —Konfi detuvo su discurso, se quedó pensativa, y siguió—: De todas formas, si te parece, después de que haya trazado mi plan de acción, me gustaría que lo pudiéramos analizar conjuntamente. ¿Querrás ayudarme, por favor?

—Claro que sí, Konfi. Debes estar muy orgullosa de ti misma y valorar el esfuerzo que esto te está suponiendo y te supondrá. No dudes de que puedes contar conmigo siempre que me necesites. Me sentiré muy satisfecho si puedo colaborar contigo.

En el transcurso de todas estas conversaciones alguien había permanecido en silencio, pero se había mantenido atento y alerta, con claros signos de estar fascinado por todo lo que estaba viviendo, especialmente por las trascendentales reflexiones de sus amigos.

De pronto, todos se volvieron de forma automática hacia Socri, esperando que interviniera para compartir con ellos sus inquietudes.

El coach le preguntó con amabilidad:

—Socri, ¿quieres contarnos alguna cosa?

Socri, de repente, estalló en un llanto incontenible ante la sorpresa colectiva. Nadie quería intervenir.

—Suelta todo lo que tengas que soltar, no te contengas, estamos aquí contigo —le dijo el coach con voz suave.

Después de unos minutos, Socri pareció calmarse. En sus ojos de color miel se reflejaba un amor profundo.

—¿Te sientes mejor?

—Sí, gracias.

—Bien, éste puede ser un buen momento para que nos cuentes qué estás sintiendo y qué ha significado para ti la aventura que has vivido.

Socri los miró a todos con una ternura infinita y les dijo:

—Yo, lo primero que quisiera decir es: gracias; sí, muchas gracias por haber compartido conmigo este día tan especial. Ha sido sólo un día, pero tan intenso, tan lleno de experiencias nuevas, que tengo la sensación de que llevamos un largo tiempo juntos. Las aportaciones y participaciones de todos han contribuido a que alcancemos la tan ansiada meta. También tengo una enorme gratitud hacia ti, coach, porque has hecho que todo esto sucediera al ir en tu busca.

—Socri continuó—: Me gustaría recordaros que yo tenía la sensación de que la vida simplemente transcurría paralela a mí. Me había transformado en un sujeto pasivo, era incapaz de apreciar la fortuna que significa estar vivo. Ayer por la mañana, cuando me encontré con el rey león, mi primer pensamiento fue que era muy afortunado, porque por fin alguien me necesitaba de nuevo y yo podía volver a ser útil. Pero no podía llegar a imaginar lo mucho que significaría para mí este día.

»He aprendido lo que es la gratitud. Yo hacía cosas por los demás porque pensaba que eso era lo que tenía y quería hacer, pero... me he dado cuenta de que, sin olvidar lo mucho que me satisface colaborar con los otros, los demás, si les damos la oportunidad, pueden hacer mucho por nosotros y ofrecernos valiosos presentes. Y no me refiero precisamente a cuestiones materiales, estoy hablando de esos otros regalos que ahora soy capaz de valorar como mucho más importantes. Sin ir más lejos, todo lo que vosotros, queridos amigos, me habéis obsequiado en este maravilloso día.

»Realmente nunca en mi vida había sido capaz de vivir tantas y tan diversas experiencias: las mías y las vuestras. Todas las extraordinarias y enriquecedoras aportaciones que habéis estado haciendo en el proceso de reflexión con nuestro bien hallado coach han sido un magnífico colofón.

»Además, creo que ahora también soy capaz de apreciar y valorar el entorno tan privilegiado en el que tengo la suerte de vivir; en este Bosque Animado, donde cada mañana amanece distinta, el sol nos obsequia con su luz y calor, los árboles nos cobijan y algunos nos dan alimento, el viento nos acaricia, la luna nos ofrece sosiego, el río sacia nuestra sed.

—¿Socri, por qué crees que no lo valorabas antes? —le preguntó el coach.

—Porque pensaba que yo ya no era útil. Sólo me compadecía de mí mismo. La tristeza se había apoderado de mi persona y yo no me había percatado. Era muy afortunado y no era capaz de verlo.

Ante esta manifestación, el coach le dijo:

—Ya hemos hablado de cómo cada uno interpreta su realidad. Fíjate que el bosque no ha cambiado, pero tú lo ves con ojos distintos; no ha hecho falta que vayas a explorar nuevos territorios, como ha sido el caso de Rey. Todo lo tenías aquí, pero no eras capaz de apreciarlo. Estabas, como tú bien dices, dentro de una emoción que era la tristeza. Creo que es importante que recapacitemos sobre esto. La emoción de la tristeza emerge de nosotros cuando realmente hemos perdido algo que nos importaba. Es natural y debemos aceptar que sea así, pero si permanece instalada en nosotros corremos el riesgo de que se transforme en un estado anímico. En este caso podría ser un estado depresivo, y eso sí que es muy perjudicial para nuestra salud mental, física y emocional.

»Es aquí —prosiguió el coach— donde debemos desarrollar nuestra capacidad de ver las cosas con otros ojos. Convertirnos en otro tipo de observador para poder contemplar la situación desde un ángulo distinto y ver qué podemos hacer. Las realidades las interpretamos nosotros, y según el tipo de interpretación que hagamos, seremos capaces de afrontarlas de muy distinta manera y, por tanto, de actuar de una u otra forma. ¿Cómo ves la vida ahora, Socri?

—He aprendido a valorar la suerte que tengo de despertar cada mañana, y a partir de ahora voy a empezar el día con disposición de apertura hacia nuevas experiencias. El pasado me sirve como referencia, pero es el que es, y yo no tengo la facultad de modificarlo; por lo tanto lo acepto tal como es, con sus cosas buenas y con las menos buenas, que también las hubo, aunque yo pretenda recordarlo como idílico. Tengo paz interior y quiero vivir en armonía con el entorno y conmigo mismo. Sé que tengo mucho que ofrecer, no sólo en el sentido de ser útil a los demás, sino también a mí mismo.

—Además, Socri, no olvides que entre los conocimientos que has adquirido ahora también se encuentra la gratitud —le recordó el coach.

—Sí, es cierto.

—Por tanto, y recordándote tus propios deseos, te sugiero que tomes cada día como un gran regalo y lo agradezcas como tal.

—Es una buena sugerencia, coach, y procuraré recordarlo cada mañana.

—Entonces, Socri, ¿qué vas a hacer a partir de ahora?

—Compartir mi felicidad, valorar la gran oportunidad que se me ha dado de emprender un nuevo camino y...

—¿Y...? —preguntó el coach.

Socri miró directamente al búho y le dijo:

—¿Crees que yo en el futuro podría ser un buen coach?

ÍNDICE